우리, 흐르는 물으로

고울 시집

당신은 평소 얼마나 자주 생각에 잠기는가? 나는 꽤 자주, 꽤 오래 깊은 생각에 잠겨 쉽사리 헤어 나오지 못한다. 그것은 아마 억압당하던 현실에서 도피를 일삼는 행위에 불과할뿐더러 잡지 못하는 시간에 반항하는 쓸모없는 짓에 남짓하다.

그런데도 나 또는 그대가 계속해서 생각에 잠기는 이유는 넘볼 수 없는 안락과 쉬이 누릴 수 없는 쾌락을 맛보기 위해서이지 않을까.

어째서 인생은 이토록 우여곡절을 동반해 결국에는 어둠 속에 몸을 누이고 끝나는 걸까. 인생만큼 허무한 이야기가 또 있을까 싶다.

'상상'이라는 필수 양분을 섭취해 자유를 뺏어 찾아들고 그곳에서 여생을 맞이할 수 있다면 얼마나 좋은 일이며 행복한 인생인가.

영혼에 평생이 있다면 그것은 부디, 내가 먹은 환상과 같은 것이었으면 좋겠다.

환상을 먹은 나는 자유를 탈취해.

고울

목차

유리잔

구름에 가려진 달에
허리 숙여 인사를

어두운 낮의 하늘에
아름다운 폭죽을

밀려오는 바닷물에
힘 빠진 육체를

여름하는 사랑

길 끝에 빛나는 초록이 가득한 여름이다
지독하게 싫지만
이상하게 밉진 않더랬다

초연한 낮
우리의 사랑은 초록이다

비가 오면 좋겠어요

매일 비가 내렸으면 좋겠어요
그에 따라 하늘은 매일 어둡고 계절을 알리는 꽃도 풀도 나무도
매일 같이 내리는 비에 끝내 사라져 버렸으면 좋겠어요
모두에게 우산이 없었으면 좋겠고 매일 내리는 비가 이상하지 않
았으면 좋겠어요

마음속에 품고 사는 그들만의 그대가 아무렇지 않은 비를 뚫고
그들을 데리러 가주면 좋겠어요
그게 특별하지 않아서 "비 오면"이라는 말이 사라져 버렸으면
좋겠어요

세상이 침몰되는 와중에도 그대는 나를 데리러 와주면 좋겠다
내리는 비와 차오르는 물을 뚫고서 그대가 나를 찾아와주면 좋겠
어

그대의 꿈속 세상은 푸른 물에 따스한 햇살 비쳐 모든 게 빛을
품은 채로 반짝거리기를

비로 인해 모든 게 사라져 가는 와중에도 우리의 사랑은 끝까지
남아있기를

비에 젖은 여름밤이 오기 전에

무거운 짐들을 방 한쪽에 내려두고 가만히 기다리다
하늘에서 내리는 비가 세상을 탁탁 칠 때면
떨리는 손을 내밀어 감히 비를 받아봐

반짝이는 바다 앞 함께했던 약속이
이름 적힌 모래가 파도에 쓸려가듯
맹세했던 약속도 어느새 이별에 휩쓸려 가버려

생각이 많아지는 밤이요
고요를 채우는 비로 감각을 깨워
사라진 것의 흔적을 찾아내 도로 없애려 들고
잊으려던 기억을 끄집어내 도로 잊으려 든다

습기를 잔뜩 먹은 여름밤이 오기 전에 했었어야 했는데

절망적 겨울

차가운 물 한 모금 마시고
미지근한 물 한 모금 마시고
못마땅하게도 뜨거운 물은 마시지 못했다

손에 들린 종이컵 속 뜨거운 물은 냉기에 금새 식어
순식간에 미지근 지나 차가움이 돼버렸다

겨울은 참으로 무섭다
겨울은 이런 계절이다

뜨거움조차 얼어버리는 계절
자꾸만 절망적이게 되는 계절

몽유

탁한 화면 속에서 새파란 꽃을 들고 끝이 없는 잔디밭을 달렸어
요
가끔 나에게도 초인간적인 힘이 있을 거라 믿고 무모한 행동을
할 때가 있거든요

이대로 달리다 보면 절벽 끝에서 날아오를 수 있지 않을까
내가 일으키는 바람에 꽃잎이 모두 떨어지면, 세상에 나만 남을
수 있지 않을까

그렇게 하얀 치맛자락을 휘날리며 맨발로 까칠한 잔디밭을 느껴
요
결국 맞닥뜨린 절벽인데 거세게 부딪히는 파도가 무서워 괜히 뒤
를 돌아보게 되는 거 있죠
달려온 잔디밭이 눈 앞에 펼쳐진 바다만큼 넓어서요

마음이 초조해져요

바다를 보며 떨어질까
잔디밭을 보며 떨어질까

어느새 꽃은 줄기만 남아 세상에 나 혼자만 남겨두고
속도 잃은 나는 감히 바다를 향해 날아봐요

살인

만약에 네가 사람을 죽인다면 어떤 날씨와 어떤 장소, 어떤 상태로 죽이고 싶어?

나는 비가 내려 잔뜩 추워진 낮에 푸른 들판에서 쾌락으로 죽일 거야

나는 조금 쌀쌀해진 저녁 숲에서 처참해진 마음으로 죽일 거야

만약 네가 사람을 죽인다면 어떤 날씨와 어떤 장소, 어떤 상태로 죽이고 싶어?

도망

가로등 빛이 난무하는 밤 세상에
우리는 도망친다

깜빡–
깜빡–

해가 다시 뜰까
머지않아 불빛은 꺼지겠지

하루
이틀
사흘
나흘

우리는 도망쳤다

원망

새하얀 밤 벚꽃이 사진첩을 가득 채우던 그해 봄
저수지를 따라 빼곡히 감싸고 있던 벚나무를 따라 둥글게 걸으며
나는 그의 손을 내내 잡고 있었다

야속한 그는 무슨 생각하나

벚꽃은 검은가
밤하늘은 흰가

유체 이탈

하늘을 째려봤더니 천둥이 쳤다
타버린 나무를 올려다보니 주위가 멸하니라

우린 어쩌다 피비린내를 뒤집어썼나

오래된 책 속에서,
천둥 번개 폭우 쏟아지는 날
나무 관에 들어가 반듯이 누워 잠드니라

영원히 잠드니라
영영 잠드니라

나무 탄내가 하늘로 올라와 흐린 하늘을 뒤덮어
우리 위는 다시 흰 구름 나는 하늘로 거듭날 테니

다이아몬드

빨간 잎들이 쏟아지면
그때 내 다이아몬드를 찾아줘

빨간 잎 사이 반짝 거리고 있을 내 다이아몬드를 찾아
파아란 바닷물에 던져 없애줘

멸망

드디어 숨이 멎은 우리는
뜨거운 눈을 피해
차가운 불구덩이 속으로 숨어

온기는 젖어가고
사랑은 피어나지

날개 없는 우리들

검은 날개 단 천사가
저승의 문 열어주니

하얀 날개 단 악마가
천국의 문 열어주네

지옥

내가 생각하는 지옥은 본성이 깨어나는 곳
네가 생각하는 지옥은 본성이 사라지는 곳

같은 지옥을 던져도 우리는 이렇게나 다른데
죽어서도 함께할 거라던 맹세는 과연 이루어질 수 있는가

내 지옥은 겨우 남은 혼 마저 감정 없이 활활 타들어 가지만
네 지옥은 겨우 남은 혼 마저 애원하며 또 다른 평생을 살아

내가 지옥의 신이라면
우릴 한 옥에 가두고 서로의 벌을 바꿀 테야

나는 본성이 사라져 애원하고
너는 본성이 깨어나 불타겠지

애증

흐릿하게 만든 안개 사이에
너의 담배 연기 들어와

세상이 번쩍했다가
숨과 함께 뿌연 연기 가득 차올라

자욱한 체리 향이 내 주위를 감싸고돌면
타들어 간 담배가 땅에서 피어올라 네 향기를 뿜어내

액자 속 그림

춤추는 시야 속에서
우리는 거침 없는 맨발로 온 곳을 누벼

벽에 걸린 액자 속 우리는
그들이 볼 수 없는 곳을 날아

그들은 멈춰버린 우리를 감상할 테지만
우리는 결국 지나치는 그들을 바라볼 테지

아주 먼 곳에서
그들이 닿을 수 없는 우리만의 그림 속에서
누구도 그릴 수 없는 우리만의 세계 속에서

흰 바탕에 빨간 물감

파티를 열자
그곳에서 새하얀 옷감을 새빨간 피로 물들이자

소복이 쌓인 눈 위에 시큼한 피를 뱉어내자
가슴 뜨거운 피로 눈이 가득 찬 세상에 스며들자

생명의 색으로
무색을 유색으로

내게 알려줘

춤을 춰요
그대 아무도 모르게
밤빛이 우리를 비춰 일렁이게 해도
잔에 담긴 우리의 피가 정신을 어질하게 해도
춤을 춰요
우리 아무도 모르게

일어서요
긴 치마를 한 번 털어내고 나의 손을 잡아요
웃어봐요
세상의 모두가 우리를 비추고 있어요

고인 빗물에 물장구를 쳐요
지난날의 슬픔을 흘려내도 좋아요
미소만 짓고 있다면
여전히 춤을 추고 있다면

그대는 괜찮나요
삶이 핏빛으로 물들어도 결국에는 우리 이처럼 달밤에 춤을 춰요
모든 게 울렁이는 와중에도 우리 웃음이 세상에 번져요

나의 세상에 그대를 불러와요
우리만의 세상에 만물을 불러와요

이치와 관행과 역습을 가져와 세상을 만들어 또 뒤엎고

맑은 물이 흙탕물이 되도록
빨간 피가 검은 피가 되도록
녹슨 기타 줄에 몸을 맡겨 우리 오늘 아무도 모르게 마음을 뒤
엎어요

좀비 드라이브

떠나자
트렁크에 칼을 잔뜩 싣고
초점 잃은 눈과
생기 잃은 입술로
저 먼 여정을 떠나자

우리의 눈은 힘없는 세상을 바라고
우리의 입술은 죽은 혼들을 부를 거야

망가진 우리는 칼을 든 채로
겁 없는 야망을 좇는 거지.

보름달

너의 심장을 뜯어 먹는 나는
산꼭대기에 올라 울부짖을 거야

아주 큰 달이 뜬 날이면
나는 높은 곳에 올라 너를 그리워할 거야

나는 너의 심장을 먹었지만
나는 여전히 너를 사랑해

욕망을 논하는 사랑

운명이란 울타리 속에서 우리는 얼마나 허용하고 저지르는가

죽음으로 가는 길 두 개의 문을 만났다
하나는 빨간 문이요 하나는 파란 문이요

당신은 어떤 문을 택할 것인가

그 순간 물인지 불인지 모를 무언가가 하늘에서 쏟아진다

탐스러운 거북이 한 마리가 욕망을 논한다

만물을 포용하는 운명인가
인간을 포용하는 인연인가

WHY

추적추적 비 내리는 날?
노란 들꽃이 판을 이루는 날?
어떤 날이든 우린 밖이 보이는 투명한 우산 하나를 들고
언제나 그랬듯 세상을 방패 삼아 떠들썩하게 뒹굴었어

방구석에 틀어박혀 그 누구도 범접할 수 없는 이상을 펼쳐내
밖으로 나온 우리는 참으로 쓸모없는 사랑과 비참한 결실을 구걸
했지
그리고는 방패를 잃어버려

나를 품고 있던 세상이 무너지고
하늘에서 내려야 할 비는 되려 내 몸에서 내리게 돼

어째서지?

타락한 우리는 홀린 기운으로 도망치려 해
앞은 뿌옇고
뒤는 흐리지
위는 맑고
아래는 새까매

푸릇하던 지구가 내 뽀글 머리에 잡아먹혀 하늘에 비애를 꽂아
조금 슬프지만 즐거워
우린 여전히 투명한 우산 하나를 들고 밖을 보며 나뒹구니까

나름 즐거워
나눌 수 있는 기쁨이라
그럭저럭 좋을 수 있는 거야

사랑을 논하는 사랑

사랑은 나를 사랑하는가

무수한 감정의 상태 속에서 나는 묻는다

사랑은 나를 사랑하는가

깊이 생각하면 끝이 없고
단순히 생각하면 생각할 것도 없는 사랑아

사랑이란 감정을 찾아 헤매고
사랑을 사랑하려 한다는 것을 왜 이제야

사랑은 만물을 포용하는가
아니면 만물이 사랑을 포용하는가

사랑 없는 우주는 역시 괴멸이니라

여름에서 가을로

매번 아찔하게 다가오는 여름
그 여름의 끝에서 가을의 바람이 한점 불면
나는 그토록 황홀할 수가 없네

지쳐 잠든 여름밤이 자꾸만 나를 가을밤에 데려다 놓으니
넘볼 수 없는 것에 대한 욕심은 날로 커져
그렇게 찾아온 가을날에 붉게 물들여진다

여름의 늪은 태양인고
그렇다면 가을의 늪은 무엇인가

가을의 늪은 붉게 물들여 태운다라

초월한 영원

영원이다
초월한 시간 속에 무엇도 없을, 무엇도 있을 그곳에 여전히 남아
있는 것

언제나
그때도

나는 뒤로 가는 기차를 타고서
어떤 시간을 초월하는가

나는 세상을 거꾸로 달리며
어떤 영원으로 향하는가

금붕어

미안하다고 했었다

끔뻑- 끔뻑-

사랑한다고 했던가

끔뻑- 끔뻑-

우리는 그것을 사랑이라 했던가

뻐끔- 뻐끔-

우리는 유리 안 민물 아래 숨 쉰다

이탈

새벽 여섯 시
내 심장은 사라지고 없어

그대의 밤에 들어선 나는 길을 잃고
잠에서 깬 나는 심장을 잃었지

그대의 밤에는
캄캄한 어둠 속에도 의식에 들어서지 못하는 밝은 빛이 엄청나

밤중 무의식의 빛
나의 심장은 새벽 여섯 시에

Dream Movie

타는 항성이 광활한 하늘에 떠올랐을 때
그는 내게 물었다

무엇이 진실일까?

그가 쳐다보는 하늘을 나도 따라 쳐다봤을 때
그는 다시 내게 물었다

태양이 지구를 집어삼켜도 우리는 진실일까?

광활하던 하늘이 태양으로 차기 시작하고
그것이 절반쯤 되었을 때
그는 또다시 내게 물었다

우리의 존재는 이 지구가 사라져도 우리를 꾸는 그의 마음속에는
남아있을 수 있을까?

태양이 우리의 바로 앞까지 다다랐을 때
나는 그에게 답했다

모든 게 다 거짓이야
누군가가 고운 잠에 빠져들어 생긴 거짓
거짓 지구에 있는 우리도 거짓
우리가 생각하는 그도 거짓

태양이 꿈을 집어삼켰다

우리 혹은 그들을 지키는 그것이

날이 밝았다!
태양을 따라 전진하자
어둠이 찾아오려 해
그 전에 이곳을 떠나자

하늘이 무너진다!
깊은 곳으로 숨어들자
빛이 사라지려 해
그 전에 이곳을 떠나자

날이 밝기 시작했다
우리는 이제 무얼 해야 하지?
어둠이 찾아오려 해
하늘이 무너진다
우리는 이제 무얼 해야 하지?

날이 밝았다
하늘이 무너진다

태양이 떠오른다
아주 맑은 날이 밝았다

싱그러운 바람이 분다
하늘이 무너진다

신, 하늘, 땅

사랑한다
그것은 나를 사랑한다

그것은 나를 사랑하는가
그것은 나를 사랑하는가

나는 그것들을 사랑하는가

빛이 돈다
새까만 눈동자에 흰흰빛이 돈다

아,
사랑한다

미로 정원

바람마저 그 속에서 길을 잃기 마련인데
한 치 앞도 못 보는 인간이 어찌 그곳에서 길을 찾을 수 있으랴

출구 없는 방황 속에서도 푸릇한 잎은 계속 피어나고
바늘처럼 쏘아대는 태양의 빛은 자꾸만 나를 보채네

아무리 높이, 그리고 힘껏 뛰어봐도
여름의 너머는 보이지 않고
나는 그저 미로에 갇혀버린 작은 생명체일 뿐이네

데워진 땀방울에 온몸을 적시다가
찾아오지 않는 밤을 원하며 미로 속에 몸을 누이고
귀를 찌르는 귀울림에 눈을 질끈 감고 잠깐 정신을 잃으면
선선한 가을바람이 나를 깨우네

동경

은행잎이 골목을 가득 깔고
따스하게 빛나는 주황빛이 그것을 비추고
흩날리던 비의 흔적이 그곳을 황금빛으로 만드네

만일 그곳에서 내 누군가를 기다린다면
내 평생을 기다려도 좋으니
나와 함께 그 빛을 누려보았으면

산벚나무

빙글빙글 돌아가는 지구에서
햇살 가득 머금은 물을 사이에 두고
바람에 휘날리는 꽃잎을 손 위에 받아보다가

우리 서로 눈이 마주치면

놀라 멈춘 지구에서
흔들리는 물 앞에 두고
꽃잎 품은 두 손 마주 잡자

째깍거리는 토요일 오후 세 시

바람 부는 그것아, 세상에는 사랑이 넘쳐나
날아가는 나비
네잎클로버를 찾는 아이들
장을 보고 돌아가는 아주머니
강가에서 낚시하는 아저씨
손을 잡고 걷는 연인

바람 부는 그것아, 곧 다가올 봄을 기약하며
나는 날아가는 동반과 함께
그가 찾은 운으로
그가 만든 온기로
그가 잡은 생으로
그들이 나눈 사랑을 품고 나는 그곳으로

바람 부는 그것아, 세상에는 우리가 넘쳐나
내가 바라보는 그것 또한
우리는 어디에나 있고 어디에도 없지
마치 바람 부는 저 하늘처럼

우리는 아름다운 선운 아래서

구름이 가득한 하늘은 조용해요. 가만히 올려다보고 있으면 빙글빙글 돌아갈 정도죠. 시끄러운 거리 속에서도 닿을 수 없어 야속한 저 하늘은 얌전하기만 합니다. 그리하여 하늘은 우리를 내려다보기 좋겠어요.

그날은 예기치 못한 코스모스가 잔뜩 깔려 우리를 반겼고, 곧이어 지는 노을이 우리를 지켜주던 나무 사이로 시트린을 뿜어냈습니다. 왜 또 붉게 물든 노을은 강 너머로 지며 세상을 온통 빨갛게 물들이는 것인지요.

아, 어쩌면 그날을 그리워하는 건 당연한가요.

사랑의 시간

지나치는 구름에도
져버리는 해에도
우리는 아랑곳하지 않지
네 말처럼 우리는 달빛에도 걸을 수 있으니까

사랑과 미움이 있다는 것은
또 그것이 계속 반복된다는 것은

떨어지는 별에도
희미해지는 달에도
우리는 아랑곳하지 않지
내 말처럼 우리는 햇빛에도 잠들 수 있으니까

그렇게 가버린 그것들에도
우리는 아랑곳하지 않지
우리 말처럼 그것들은 또다시 반복될 테니까

낮이 가면 밤에
밤이 가면 낮에

신과 우리가 있다는 것은

출항

파도가 치는 그곳을 향해
해가 지는 그곳을 향해

우리를 배웅하는 그들을 뒤로하고
다시 한번

바다 너머 그곳을 향해
세상 너머 그곳을 향해

개나리

길 잃은 우리여
담 너머 핀 개나리 보고
잊었던 봄 되새기어

잃었던 길 되찾아
그 끝에 담 너머 본 개나리 심어
우리에게 영영 남겨주리

편지

새파란 밤하늘이 짙게 눌려 마음이 저곳을 향해 뜨려 한다. 너는
잘 지내나. 눈은 잘 감았나. 그곳은 따뜻한가. 그곳은 자유로운
가. 오늘따라 유난히 별이 많다. 남아있을 너의 온기를 찾아 차
갑게 식은 곳을 쫓았다. 별이 가득 채운 밤하늘에 작은 마음 하
나를 올려보내며 새벽을 기다린다. 그곳에서 내가 보인다면, 내
빈 마음에 별 하나만 떨어트려 주기를.

눈을 떴다.
모두의 하루는 이렇게 시작된다.
눈앞에 흔들거리는 전등을 비벼 없애고 창밖에 펼쳐진 푸른 들판
을 담는다. 푸른 여름 하늘을 올려다보며 괜한 기대감을 만들어
내 결국 허전함을 불러온다. 비가 오진 않을까. 꽃이 지진 않을
까. 겨울이 오진 않을까. 이제는 미워진 계절에 보낸 너를 그리
워하며 네가 다시 오진 않을까 걱정을 일삼는다.
홀로 남은 방을 담으면 잊으래야 잊을 수가 없어 집을 나선다.
시간이 지나도 잊히지 않는 너를 찾아 한 걸음 한 걸음 나아간
다. 초록 풀이 발목에 스치며 마치 너를 부르는 것처럼 싱그러운
소리를 낸다. 너의 집이 담기고, 그 안에 있을 너의 온기가 향긋
한 냄새로 흘러와 무성한 잎들을 흔든다. 어제보다 나은 오늘을
살 수 있으리라. 그리 다짐했건만. 오늘도 나는 이토록 너를 그
리워한다. 나를 향해 쏘아대는 해마저 가슴 뜨겁게 세상을 울리
고, 가득 채우는 더위가 내 심장을 부여잡아 울부짖게 한다.
도톰해진 땅과 유리창을 볼 때면 미워진 그 계절도 다시 사랑으
로 떠올리고, 나를 두고 먼저 가버린 너도 역시나 사랑으로 떠올
린다. 이제는 잊으리라. 아무리 다짐하고 다짐해도 너의 향기는
아직도 내 세상을 가득 채워 그 무엇 하나 허투루 잊지 못하게
한다. 하려 했던 말은 무엇인지. 주고 싶었던 것은 무엇인지. 못

다 한 것들이 맴돌아 네가 채운 향기에 묻혀 고달프게 울어댄다. 그땐 여름이었나, 가을이었나, 추운 겨울이었던가. 아니면 꿈같던 봄이었던가. 오늘도 나는 무척 그리워하여 혼자 남은 세상을 누빈다.

끝이 없는 들판에서 환상의 수레를 끌고 그 안에 환상의 꽃을 담아 너에게 간다. 네 주위에 꽃을 심어주고 한여름도 봄 같게, 추운 겨울도 봄 같게 사계절 내내 네가 그토록 사랑했던 봄을 심어준다. 흙이 무겁진 않을까. 늘 들이마시던 공기가 답답하진 않을까. 너를 생각하고 너를 볼 때면 오만가지 걱정이 머릿속을 휩쓴다. 너의 목소리가 하도 선명하여 이따금 뒤를 돌아보고 너를 찾는다. 갇혀버린 시간 속에서 누군가를 그리워하고 기다린다는 것이 이리 서글플 줄은 생각지도 못했다. 모든 게 이상이라고 했던 이곳에 나만 이상이 아니어 슬픔만을 느끼고 아픔만을 느낀다. 즐거움뿐이던 이곳에서 나는 이제 다른 것들을 느낀다.

거세게 부는 바람에 너의 자전거가 넘어졌다. 타는 사람 없는 자전거가 행여 흠집 하나라도 났을까 달려가 세운다. 곧이어 거센 소나기가 내린다. 너에게 이 세상의 숨을 주려 열었던 창문을 황급히 닫고 문 열린 내 집을 바라보며 비가 그치도록 너의 온기에 머무른다. 쾌청했던 하늘이 대낮인데도 밤에 거의 도달한 것처럼 어둑어둑하다. 네가 무서워하던 빛이 번쩍이고 매서운 소리가 들려오면, 그럴 때면 내가 너의 머리를 쓰다듬어 주었는데. 무섭지 않던 것들이 무서워진다. 덩그러니 남은 나는 너의 집에서 밖의 것들의 무서움을 피한다.

요란한 낮, 나는 단잠에 빠져들고 또 다른 이상을 펼쳐 그곳에서 너를 만난다. 이곳의 너는 여전히 생기 있고 또렷하구나. 창밖은 계절 없이 매우 좋고 네 주위는 온통 자라나는 생명들로 가득해 또 하나의 세상을 이루는구나. 동화를 읽은 어린아이의 머릿속에 들어와 있는 것처럼 네가 있는 이곳은 마냥 아름답다.

또 한 번 거센 바람이 불까? 곧이어 무시무시한 비가 내릴까? 하늘이 너에게 겁을 줄까? 행복한 너를 보고 있어도 한 번 맛본

불행은 내 마음을 쉽사리 놓아주질 않는다. 나는 이제 완전히 겁쟁이가 되어버렸어. 아직도 행복만 느끼는 너와는 다르게 말이야. 혼자 남는다는 것은 나를 품고 있던 세상이 두려운 존재로 변해버리기도 하고, 창창했던 앞날을 어둠으로 가려버리기도 하지. 행복을 잃어 두려운 게 많아졌다.

저 멀리서 네가 나를 부른다. 옆에 띄운 나비 한 마리가 나를 데리러 왔다가 조심히 뻗은 나의 손에 사뿐히 앉아 머무른다. 꽃처럼 달콤하지 않을 텐데도 네가 띄운 나비는 꽤 오랫동안 나의 손에 머물러 있어. 꿈을 꾸고 있는 것 같다. 우리의 이상이 약간 뿌옇기도 하면서 나를 통과하기도 한다. 이것은 꿈이 맞는 것일까.

나비가 훨훨 다시 네 주위를 난다. 부지런한 날갯짓으로 어서 오라며 나를 부른다. 시원한 공기 속 따뜻한 땅의 온도를 느끼며 천천히 너에게 다가가면, 네가 나의 손을 잡고 금방이라도 이 드넓은 곳을 평정하려는 듯이 달려 나갈 것 같아. 꿈이 아닌 것처럼 아주 생생하게 네가 나를 데리고 이 세상을 달릴 것 같아.

우리, 흐르는 물으로

우리, 흐르는 물으로

발　행 | 2024년 05월 07일
저　자 | 고울
펴낸이 | 한건희
펴낸곳 | 주식회사 부크크
출판사등록 | 2014.07.15.(제2014-16호)
주　소 | 서울특별시 금천구 가산디지털1로 119 SK트윈타워 A동 305호
전　화 | 1670-8316
이메일 | info@bookk.co.kr

ISBN | 979-11-410-8381-6

www.bookk.co.kr